Y0-AQM-741

OneBook

英俊又可爱·1

猴淳良×路雅爱 著

世界知识出版社

Z z

目录

Contents

人物介绍

Character

Profile

唐小寒的邻居兼青梅竹马，也是小寒的暗恋对象。从小被小寒压制的“食草系”男子。长大后身高超过了唐小寒，才终于从“别人家的孩子”的比较中解脱出来。

变身后唐小寒的化名。是个外表俊俏的美男子。因为大脑思维仍旧是唐小寒，故而行为上有多处别扭、突兀的地方。目前，在慢慢习惯男儿身，并以唐小寒堂哥的新身份，重新做回白鹿牙的助理。

唐小寒

故事主角，是个活泼、可爱的女孩子。在大学毕业前的实习中惨遭车祸，脖子以下粉碎性骨折。车祸之前，很介意自己的身高，擅长吐槽和做家务。

林立夏

唐小寒的闺密。目前在经营一家服装网店。在唐小寒变成男人后，突发生意头脑在店里开始售卖男装并且卖得很好。平日里有些毒舌，是个御姐。

白鹿牙

当红小鲜肉“爱豆”。人设帅气、稳重，但实际上完全是个小鬼。有着“妇女杀手”之称。喜欢吃甜食，是个可爱的“小天使”。

我变成男人了

所以……

我到底……

是怎么走到这一步的……

捏

三个月前——

我跟你说啊，
在偶像公司实习果然超——棒的！
昨天又看到好多明星呢！
你给当助理的那个偶像又胡闹了吗？
那个小学弟？
谁管他啊！明天放假我要好好出去玩！
叮——
拜拜，明天见！
拜拜！

小寒！

砰！

咔嚓

小寒……
小寒！
醒……
快叫救护车！
快！
快点！
急诊抢救
Emergency Room
让一让！
手术中

咔嗒

大夫！大夫我女儿
怎么样了?

对不起，
我们尽力了。

不……
求求你……
不会的，
救救她……
非常遗憾，
脖子以下全身粉碎性骨折。

损伤太大，
可能没有
多少时间了，

不过您的女儿
没有太多痛苦……

打了半斤
杜冷丁……

不——！你骗
我！你骗我的，
对不对！

抱
歉……

竟然被发
现了吗？！

的确是骗您的！
您的女儿十分痛苦！

快住口！

建议弃疗！

咔嚓！

副院长！特护
病房的 0 号植
物人患者没抢
救过来！已经
宣布脑死亡——！

什么?!

这位太太!现在还有个机会能救您的女儿!

我院和某科研机构签署过一项人体实验合作，如果您愿意签字参加的话，您的女儿还有一线机会可以救活。不签的话，死亡只是时间问题，天哪！现在简直是天时地利人和，不如您考虑一下?

不到 0.01% 的机会——

我女儿……

还有救?

不到万分之一的概率，接近于零。
不是零……
我签……我们签……
这是……
哪儿？
病号服？我怎么了？
我的胸呢？！
等等……
不……怎么说呢……就某种角度来讲，并没有比以前小……
更饱满……厚实？

不到 0.01% 的机会——

咦……腹肌？！

腹肌？！

我的小肚腩呢？！

难道……
不会吧……

伸进

……

?!
咦?
欸?
……
这……
这个……
嗷——
是什么玩意儿啊?!

我是唐小寒，
被车撞了。

醒来之后，

发现自己
变成了男人。

呜啊啊啊啊啊
哈利路亚
（雄壮）
（粗犷）
嗯？
啊啊啊啊啊啊啊啊啊啊！
（浑厚）
老婆，我们家里有男人在叫?
啊呀，
小寒醒了。

刚好有个植物人，和你做了换脑手术，竟然活下来了……

事情就是这样，

我的女儿变成我的儿子了!

……

噗!

小寨别怕，没事的，
妈妈永远爱你，
你永远是妈妈的
好女……儿子。
你说是吧！他爸！
噗！
爸……爸爸？
……
小寨你无
论变成什
么样——
爸爸都是
爱你的呀！
爸……
你敢看着
我的脸说
话吗？

（妈，我听得见。）
看着女儿讲话啦！这样小寒会不安的！
……
……
爸……
盯
（爸，看看我啊——）
唉……
你……
紧张
你们老唐家当初不是一直想要个儿子吗？
盯
……
勇敢面对
现在有什么不满的啊！
喏！这么大个儿子！
呜哇！
噗！

哎呀，当年生出来是个女儿，你们家那嫌弃的啊！

这么多年小寒学习比哪个叔叔家的孩子都好！

呜哇！老婆我错了，当时我可喜欢小姑娘了……

消消气，别打扰小寒休息……

好，我们下楼把话说清楚！别打扰咱们儿子休息！

（消气。）

噗！

（消气。）

现在变成儿子了！满意了？

噗！

可是我比较喜欢女儿……

砰！

咔——

妈，我的心好痛。

然后再做进一步打……

• 天然彩棉四角裤
• 舒适透气无刺激
• 电脑刺绣金龙纹

算。

咻——

怎么了小寒？！

呀啊！爸爸大笨蛋！出去——！

砰！

呀啊啊啊啊啊啊啊啊啊啊啊——！

叽叽啾啾——

虽然这是你爸的，但这条是新的。
放心吧，小寒。
小寒，你的身体已经变成男孩子了，
今天就先对付穿一下嘛，款式不喜欢我们再买。
翻翻
找找
不过小寒的心情妈理解，
如果小寒还坚持要穿这个妈妈也会支持的……
想象了一下……

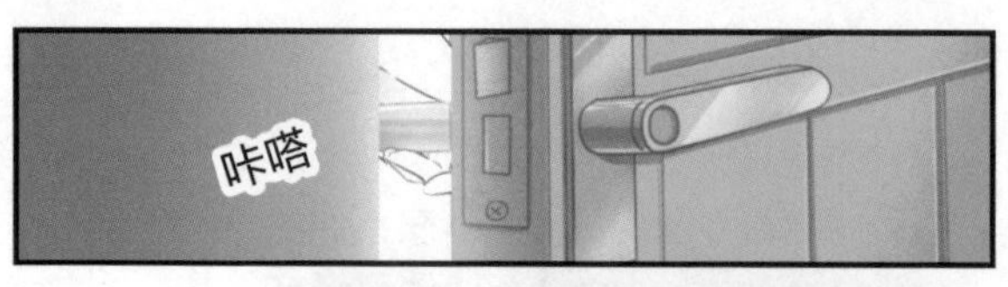

咻!

这样的人生!
我不能接受!

02 CHAPTER TWO 第二章

邻居哥哥

真是……
好帅啊！

【楼下】

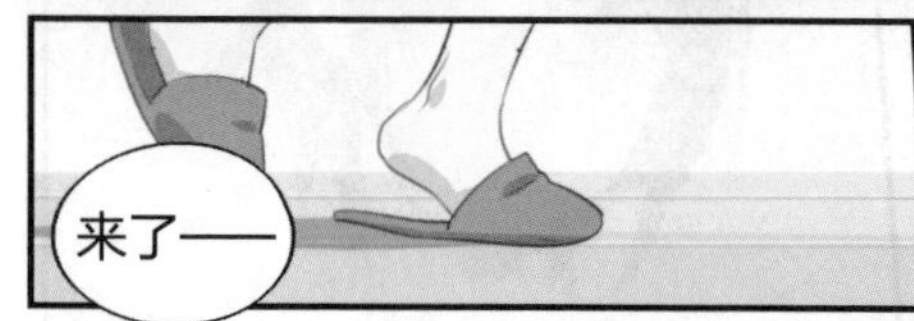

嗯，听说小寒出院了，我来看看她。

★**安谷雨**（邻居）

这是我妈种的柿子，拿给阿姨尝尝。

【楼上】

【楼下】

女儿啊……还我可爱的女儿啊，穿小裙子的女儿，会说爸爸你累不累，我给你盛饭的女儿，啊呜呜呜，我不能接受，还我女儿，呜呜呜……

哎呀，来就来呗，还拿什么东西啊！

【楼上】

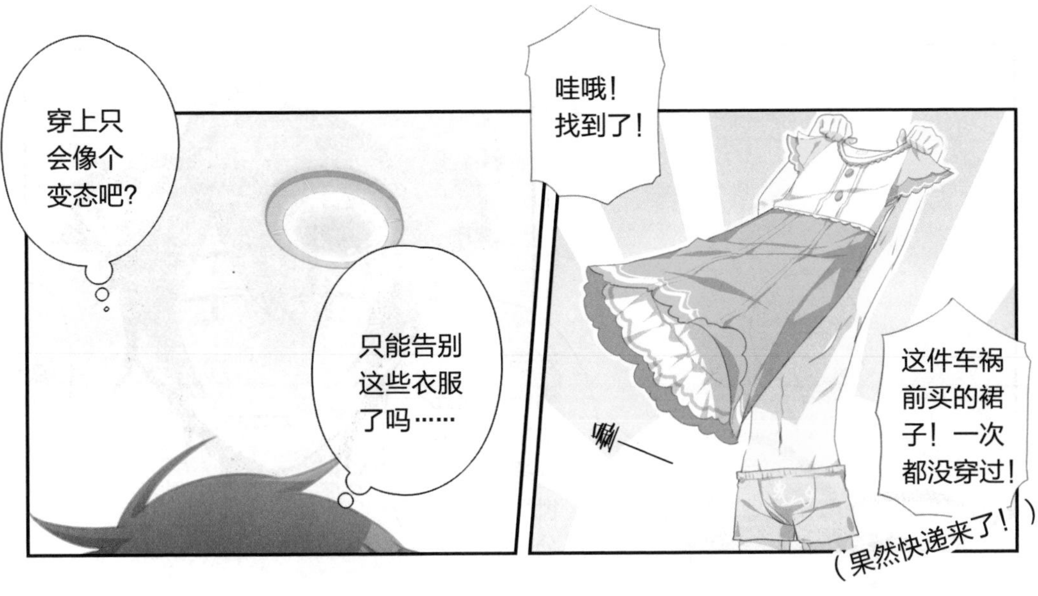

【楼下】

小寒还年轻啊，遭遇这么大的打击，

我好担心她毕业无法融入社会……

附近跟小寒差不多大的就只有谷雨你了……你……你多帮帮他，我们年纪大了，这方面真的是有心无力了，呜……可怜小寒好命苦，呜……

阿姨，纸巾……

呜呜呜——

没问题！小寒的事就是我的事！能帮得上的一定尽力！

【楼上】

嘻——
……
好违和……
男生不能扎头发，不能穿裙子真是世界的不公……
那么阿姨，我上楼去看看小寒。
嗯……去吧。
怎么会……好端端的竟然是这种结果……
难道小寒下辈子只能在床上度过了吗……
当当当——
小寒?
我是谷雨，我进来——
咔嗒——
了?

小寒屋里有个穿女装的变态啊?

被（从小就一直喜欢的邻居家哥哥谷雨）……

看到了啊啊啊啊——!

……
头发……头发上还有蝴蝶结……
呃?
啊哦!

……

其实……
三个月前，那天我实习下班和立夏去逛街，过马路的时候被车撞了……

然后送到医院就不行了，脖子以下全身粉碎性骨折竟然还能喘气，我也是吓了一跳。紧急关头据说有个科研机构要拿我做实验，把我脑子取出来放在了另一个植物人的头里，然后昏迷了三个月，似乎病情反复不兼容什么的，总之超危险的，最后竟然就真的活下来了。这真是太刺激了，反正身体不是我的，只有脑子是我的，醒了之后……非洲大象……好可怕啊……

所以，
事情就是这样。
关爱智障的目光
……
……

也是啊……
正常人怎
么会相信
这个……
（我都不会信……）
！
6岁，
幼儿园
大班。
你怎么
会——
你午睡的时候尿了床，老师把你的床单拿到外边去晒，你拼命拦着老师没拦住，哭了整整一个下午。
（我和其他女生还大肆嘲笑来着。）
谷雨哥哥你露屁股啦！
8岁，小学二年级。你被椅子上的钉子刮破了裤子，但没发现，我在课间操的时候提醒你来着。
（然后全校都知道了。）
啊！
不，你
等下……
11岁，
小学五
年级。

你偷偷喝
了安叔叔
的啤酒，
醉得哭倒在
地，一边打
滚一边喊着
要养小狗。
小狗狗！
小狗狗！
（我刚好在
你家吃饭。）
不——！
够了！
快住口！
15岁，
初三。
你学习没我好，
个子也没我高，
被安阿姨骂哭了，
要跟我绝交，全
小区都看到了。
欸？
不……
不要再
说了啊！
18岁，高
三。你高
考后——
够了！
还有几百件事，
我都记着呢！
够了，快住口！我信了！
我信了还不行吗！

难以置信……但他说的都是真的，我和小寒可是拉过勾不说出去的，我的天哪，不得不信，但邻居家不到一米六的小巧可爱的妹妹就这么变成了男人，怎么办，好难接受！

有些事相信小寒
不会告诉别人。

啊，小寒一定更难接受，天哪，一下子变成男生该多么脆弱，如果是我都——不对，我就是男人，突然变成这样一定很孤单、很害怕吧，好可怜……

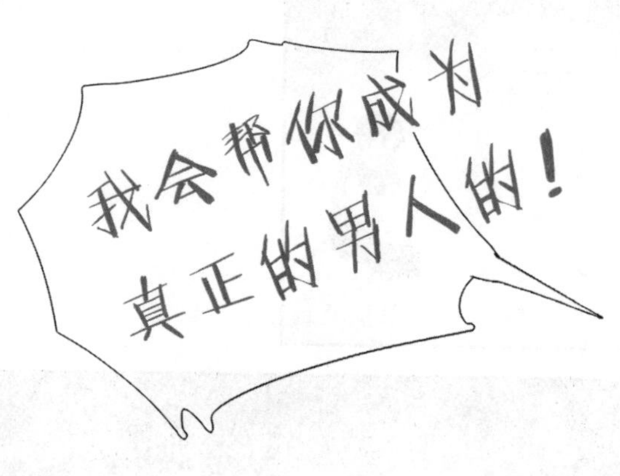
我会帮你成为真正的男人的！

不……等一下，
虽然我确实明白了你的意思……
谷雨哥，你……接受了（这个真相）？
（我都没接受……）
这位对门的朋友你能好好说中文吗！

是，虽然我以为是瘫痪了或截肢……
啊，真是抱歉，擅自就进来了，我太自以为是了……
欸？
……
革命

谷雨哥哥，

我终于，

又比你
高了呢。

那一天，
安谷雨终于回想起了，
曾经一度被小寒所支配的恐怖，
还有被囚禁于“别人家的孩子”身下的……
那份屈辱。

那么，我先回去了，
小寒，好好休息。
谷雨家，
就在对门。
妈——我回来了。
当当当——
回来啦！
我儿媳妇怎么样？没啥事儿吧！

不太好
说……
还有，妈，
你别老拿
小寒开玩
笑了。
哎呀，人家
小寒除了个
儿矮点，性
格、家务哪
个都行！
妈早替你
看好了！
就她了！
……

你赶紧告诉我，我儿媳妇咋样了？

妈……你要有心理准备，

坐下来，我慢慢跟你说。

小寒不是被车撞了嘛，其实当时没抢救过来，听说被推荐给一个神秘的科研机构做实验……

然后小寒的脑子换到一个植物人身上了，还是个男人……

最后……小寒就变成男人了。

【五分钟后】

哇哦！
让开！
就你上次
跟我说的！
你同事家
的女儿！
还找对象
呢吧？
当护士那个！
喂！
老王？
对对对！
真是一点
就透！就
下周日吧！
我儿子不加
班！时间、
地点让小
姑娘挑！
哪能啊！
不是斗舞
的事儿！
（就东边那小区，我
还没放在眼里！）
等等！妈！
您还没征求
您儿子的意见呢！
是相亲吧？
是相亲对吧？
上学时不准我
谈恋爱的妈妈
哪儿去了？！
就这么被卖了！
毫无余地？
啪
啪
啪
啪

咔嗒！
呼……
……
宝贝儿想
吃啥，妈
出去买菜！
……

内急，
内急，
厕所……
嗯，
这是好奇心的胜利。
哦，
不对，
我应该像个男人一样去——
……
窸窸窣窣
妈妈……
我大概知道长颈鹿喝水是什么感觉了……
呃……
哗啦啦啦啦啦——
嘘——

什么嘛，这不是很简单嘛，我还是很厉害……
啊！
哇啊！
小寒你怎么了？小寒你没事吧！
啪
没事啦，我马上就擦干净！啊，不，马上就出去！

“女主”出现

小寒变成
男人后，

出院回家
醒来的第
二天。

女儿啊……还我可爱的女儿啊，穿小裙子的女儿，
会说爸爸你累不累，我给你盛饭的女儿啊，呜呜呜！
我不能接受，呜呜……还我女儿！呜呜呜……

来就来嘛，
还带什么
零食！

叔叔这是
怎么啦？

哎呀，不就
那样，接受
不了嘛。

（不服）还我女儿，
我的贴心小棉袄呢？

那我直接上楼看小寒啦。
去吧去吧，你多安慰他。
小寒，是我，立夏。
醒了吗？我带了蛋糕来哦。
当当当
咔嗒
……
立夏……

嗯?
砰咚！

哇啊立夏，
啊啊啊！
砰！
啪！
扑通！
啊……
糟了，
下意识
地就……
痛痛痛痛痛！
小寒你
怎么了?
小寒你
没事吧！
（父）
啪啪啪

超惨的是，也不知道是不是后遗症……就那个每次上完厕所（不可描述的全过程）之后，

突然就会打个寒战，然后甩得到处都是，根本控制不了……

（我是不是不兼容啊？）

欸……

（虽然我也是不懂啦——）

哦，所以你为什么不坐着上厕所？

对哦！

唰——
那，这位英俊的小哥……
啪
嗯？
你……
你想干吗？

当然是，如果变成男人了，先给姐姐我感受一下呀。
哇哦，皮肤竟然不错！
肩膀好宽！
胳膊好结实！
啪啪啪！
嗯？竟然还有腹肌哦？
胸肌？这就是胸肌啊！
戳戳戳
躺了这么久，怎么保持身材的？

让我数数有几块儿吧。
啪！
揪起
你……要干吗？
怕什么啦！以前又不是没看过！
嗯！
你看过的不是这个身体啊！
松手啦！
你弄痛我了！
呜哇，对不起！
我变成男人后力气好像变大了！还控制不好力道！

哇哦！♥
♪~

……

哦，
这就是
胸肌啊！
原来胸肌没
有那么硬嘛，
挺柔韧啊。
呜……
哎哟，
腹肌也很
有趣嘛。
手感好好哦！
4、5、6……
隐隐约约有
6 块！
戳够了
没啊？
说真的，
小寒，你现
在的身材好
好哦。
原来的小肚
腩也不见了，
还有马甲线。
（感觉胸也比以
前要大一点？）
哦
……
欸！

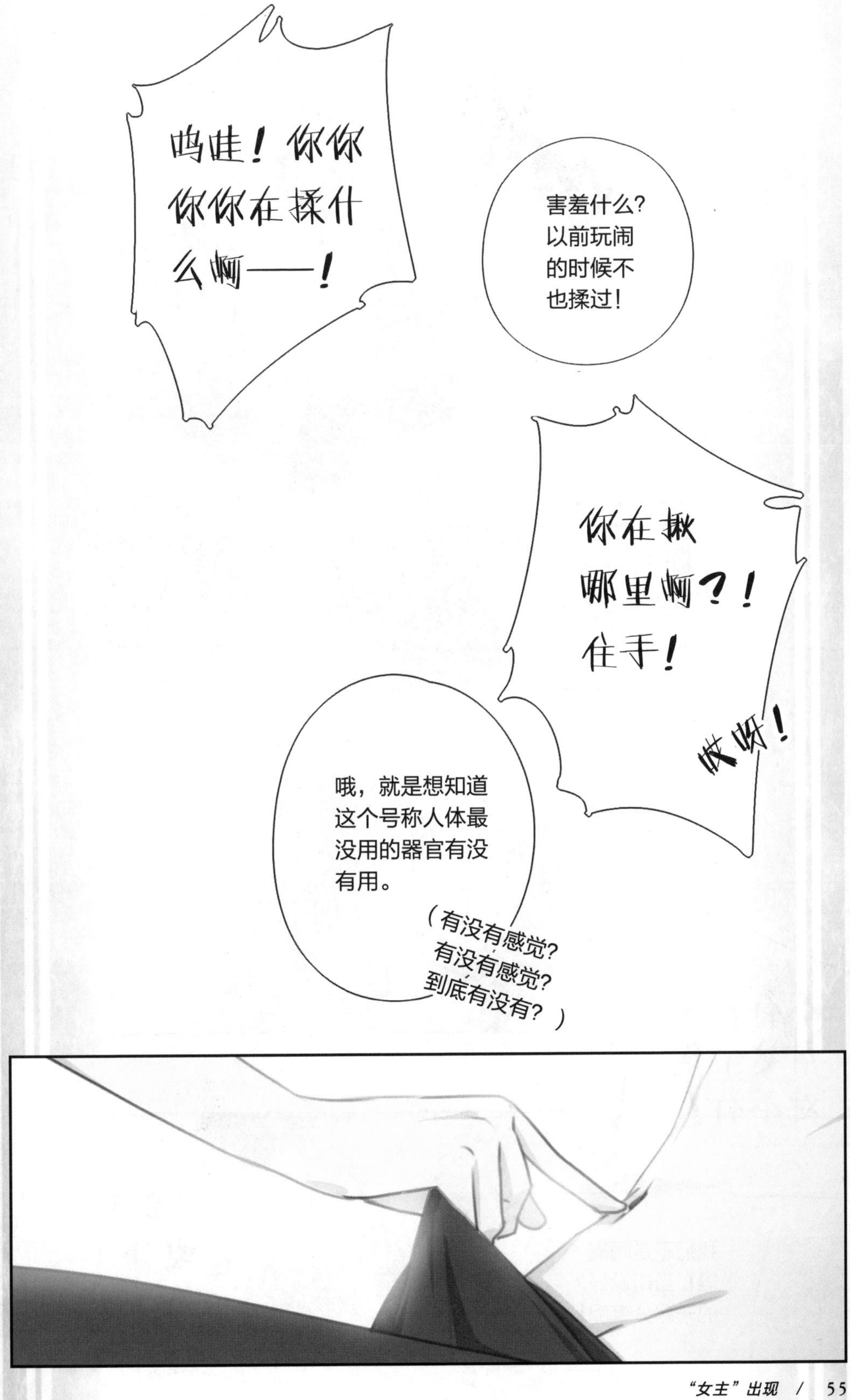

呜哇！你你你你在揉什么啊——！

害羞什么？以前玩闹的时候不也揉过！

你在揪哪里啊？！住手！

哎呀！

哦，就是想知道这个号称人体最没用的器官有没有用。

（有没有感觉？有没有感觉？到底有没有？）

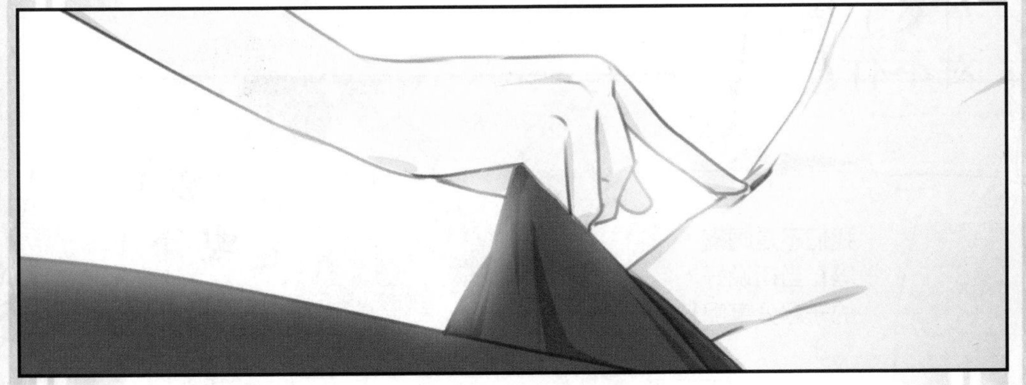

就看看咯，好奇嘛。

不行！只有这个绝对不行！

我们不是闺密吗！当初说好的一起分享呢！

僵持

我可没说过要分享这玩意儿啊！

脑袋秀逗啦！

嗯！
啊呀，
你弄疼我了！
呸！同样的招数用第二遍对圣斗士是没用的！
（你以为我会信？）

这不一样！
快松手啊！
给我看看啦！
我还没见过
活的呢！
超难看
的！真的！
超难看的！
（我从来没看过那么
恶心的东西！）
噗！
这个金龙刺
绣是怎么回
事啊！哈哈
哈哈哈哈！
快住手了啦！
抖抖抖
抖抖抖
抖
抖
抖
哎呀，年轻
人真是有活
力啊！
嗷？

活下去是
肯定要的
啦……

还有那么多好
吃的、小说、
漫画、电视剧
……漂亮的小
衣服……

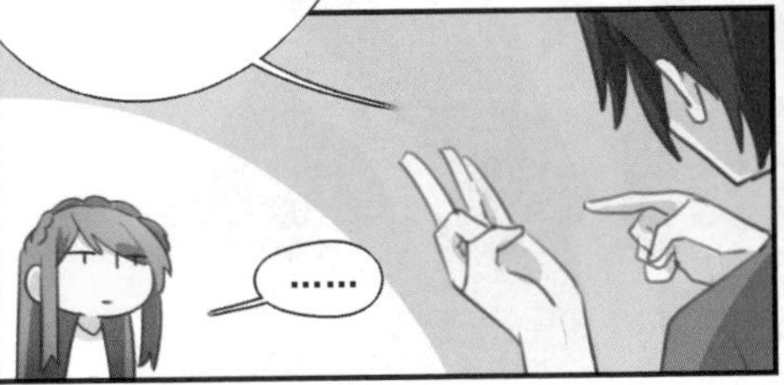

咔啦啦

唰——

我全都穿不上了！送给你啦！喜欢哪件拿哪件！

盯——

你这都是童装啊……完全不符合我的风格。

送给你还那么多话！

勉强挑了两件能穿的。

说好的……闺密呢……

说好的一起分享……呢？

我分享你衣服，
你却赶我走。

玩弄我的身心，却不肯留我在身边。

你伤害了我，
还一笑而过。

好看吗?
飒
冷漠
呵呵，
好看。
砰——
……

【五分钟后】

对了，安谷雨是什么反应？你不是喜欢他吗？
他好像是接受了我变成男人的事实……怎么办，我还是很喜欢他啊……本来就只敢暗恋，结果现在连女孩子都不是……
有什么关系！就算这样你俩也可以在一起啊！
对哦！
我这么“Man”！我可以追他了！
（哈哈哈……）
（哈哈哈……）

呵呵，你还是先接受自己变性的事实后再去追人家吧。
（你是“Man”？呵呵。）
那之后你想怎么办？总不能宅在家里不动吧？
倒也是啦……不能总穿我爸的衣服。
（也不想穿金龙彩棉内裤了。）

……
根本接受不了。
过两天我陪你去买衣服吧？
那你网店的生意怎么办？
设置自动回复买家，就说我闺蜜失恋被负心汉甩了，闹着要变性，我得劝她。

……
（喂喂。）
对了，你原来的护肤品也不能用了，男生用了会长胸。
对哦……那就也都送你吧。
（糟糕，今早还用了。）

不，我才不用儿童面霜，我已经是个成熟的大人了。
（你那个牌子完全不行，呵呵……嫌弃。）
……
说真的，立夏你是不是讨厌我……
（哪有，你想多了！）
爱的呀！
……

男生购物清单

果然还是
好帅……

长这样子，
每天对着
镜子看也
不会腻。

嗯?
这刮刺
感……

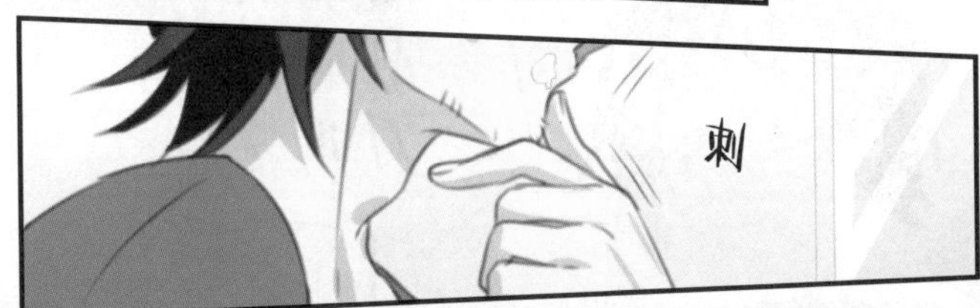
刺

是……是胡楂!

爸——
爸爸！
怎么了！
小寒！
爸，你
有剃须
刀吗？
我长胡
子了！
喀——

我长胡子了
我长胡子了
我长胡子了
我长胡子了
爸爸，爸爸，我什么时候才能长胡子呀?
你是小女孩儿，永远都长不了胡子啊。
啊……那我岂不是永远也用不了爸爸的剃须刀了吗?
哈哈！还挺期待的！那说好了，小寒要是长胡子，爸爸的剃须刀就给你用！
好，拉钩！
说话算数！拉钩！

年轻时说出口的玩笑话……
意外地实现了。
借我用！
等会儿还！
哎呀，长胡子啦？咱儿子长大啦！
老婆，你是不是不爱我……
爱的呀！
WET/DRY
跌麻
嗡嗡嗡嗡嗡——

立夏，你根
本没法想象！
我的脸在
往外长毛！
啊，出门除了买衣
服还要再补上剃须
刀，我爸说最好不
要共用！
嗯?
要买的！！
护肤品(男性！)
衣服.
剃须刀
我长胡子了！
男性护肤品也要
买！剃完胡子我
的脸都要裂了！
胡子呀！
男式内裤应该
买多大码的?
我不知道啊！
我万一想在外
面上厕所怎么
办！我不会站
着尿啊！
……

甩得到处都是
怎么办？等等，
这是不是有病！
我是不是应该
去医院看看！
（也不知道普通
医院能不能治……）
滔滔不绝
滔滔不绝
……
小寒呀，
男人的事儿
找你谷雨哥
解决！
别打扰
我睡觉！
咔嗒！
欸！

……
嘟——
嘟——
喂?
喂……
谷雨哥?
我有点事
想商量……
……
你是谁?
欸?!
谷雨哥，我
是小寒啊!
(哇——)
咦?
啊!
哦——
哇啊，差点
忘了小寒变
成男人了!
(好险好险……)

是……是
这样的，
我……我
那个，上
厕所……
啊？刚
才没听
清……
上厕所小、小、
小……小号
后！会突然
打个寒战！
然后甩得
到处都是！
怎么办！
我是不是
生病了？
……
……

这是男性正常的生理现象，热量瞬间流失导致的，你刚变成男人可能不习惯，以后慢慢会好转的……
（羞耻条）
另、另、另另另外……
只、只需用左手轻轻地扶着……
（羞耻条）
啊不，你是左撇子吧！那用右手就行！
不对，你换人了！会不会变成右撇子……总之似乎是非惯用手！
算了，喜欢用哪边都行，总之扶一下就好了！
（羞耻条BOOM）
咔嗒！
革命

知道了完全不
想知道的男性
生理常识？

谷雨哥哥用
的是左手？

不扶不行吗？
噫——！

好恶心的，
一点都不
想碰啊！

新世界的大门一点都不想打开！
非惯用手什么鬼啊——！
都这样了怎么还不坐着上！
不是身体不兼容真是太好了——
差评差评差评！
可是还是太糟！
男生好奇怪！
救命，好想变回女生！

【谷雨家】

小寒是男人，
小寒是男人，
小寒是男人……
（啊呜！）
别光吃饭，也吃点菜啊！
（啊呜！）
（还有……你这是种地呢？撒得到处都是？）
（大哥啊！让你奶一口，你都上了十遍 BUFF 了，不要再划水了。）
注释：形容打游戏的时候没有尽到职责，在一旁偷懒、摸鱼。
小寒是男人！是哥们儿！没什么好害羞的！对！一点也不尴尬！
吓？
喂……喂？
丁零零零零零
叮咚当当丁零零
咦？

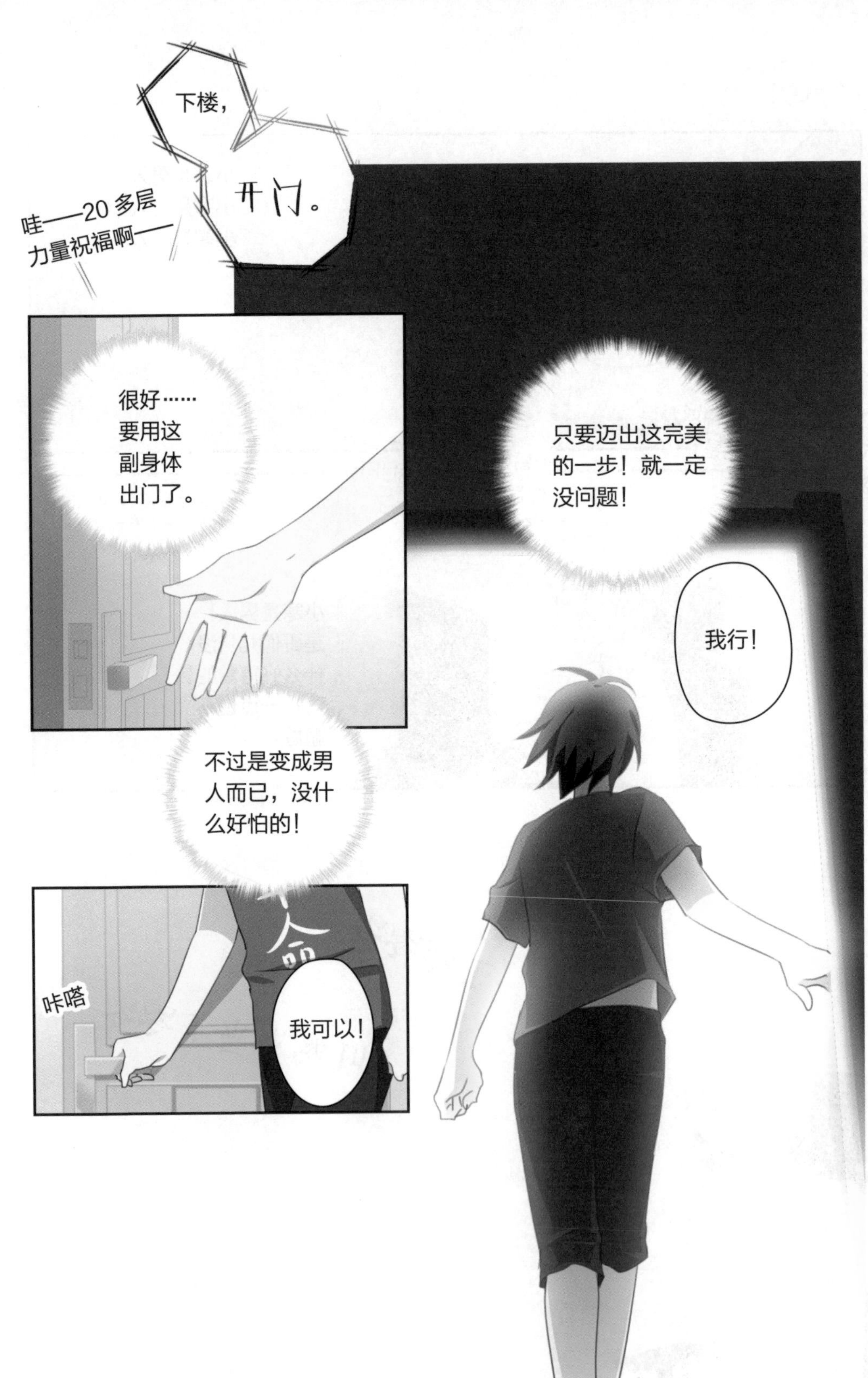
下楼，
开门。
哇——20 多层
力量祝福啊——
很好……
要用这
副身体
出门了。
只要迈出这完美
的一步！就一定
没问题！
我行！
不过是变成男
人而已，没什
么好怕的！
咔嗒
我可以！

砰！

啪！

咚！

小寒——！
怎么搞的，
摔成这样！

咔嗒
等等……
为什么谷
雨哥也来
了啊?
欸!
阿姨，我们
来找小寒啦，
一起出门买
东西。
打扰了。

毕竟谷雨是男生，尺码什么的咱俩都不懂，就叫他来帮忙啦。
嗯……能帮的忙一定帮！
咦，小寒，你为什么躺在地上？
谁也没能料到，
三人行将要掀起怎样的腥风血雨。
嗯……
还真是有不少东西要买。
少穿了那件感觉好不安全……
嗯……走路像女孩子……
革命

不过，基本去趟商场就都解决了嘛。
小寒跟我个头差不多，可以试试 XL 和 XXL 号。
TRC
那就这件，
这件，
和……这件吧。
男装都不好看……
99

我帮谷雨也挑了几件，你俩去试试吧。
（相信网店店主的眼光！）
你开的不是女装店吗？
非常抱歉，
现在试衣间只剩一间了。
欸！
现在人有点多，你们谁先试衣……
那就一起嘛。
1
2
3
4

呃!

谷雨呀……

啥?

呃!

你俩不是发小嘛,

他女朋友我都不介意，你介意什么?

那个……
两位帅哥要是着急又不介意的话……
吓？！
不，那个，我——
不不不不！
太尴尬了！我拒绝！
讨厌，你竟然打我，家暴呀！
走开！
……
……
这群人要什么宝……好好买衣服好吗……
革命

那我们一起去试吧！

嗯，可以的，楼下女生试衣间都排队了，你可以和男朋友一起试。

……

呜！

这是误会……
活该！
Give me five!
天道好轮回
苍天饶过谁
顾客……你们是不是不想买衣服呀……
啊，我们真心想买！
那你们先讨论着，我们让后面的顾客先试好吗？
啊，我们现在就试！

小、小寒
跟我身材
差不多，
选、选 XL
号就好……
但、但是
……想宽松
一点就选大
一码可能更
更更舒服……
好、好的
我知道了！
……
coldwind
限时
特惠
内裤
2条59元
真是难懂
啊……这
两个人。
快瞧，那边有
两个男生在一
起挑内裤！
嘻嘻嘻，
还挺帅！
噗。

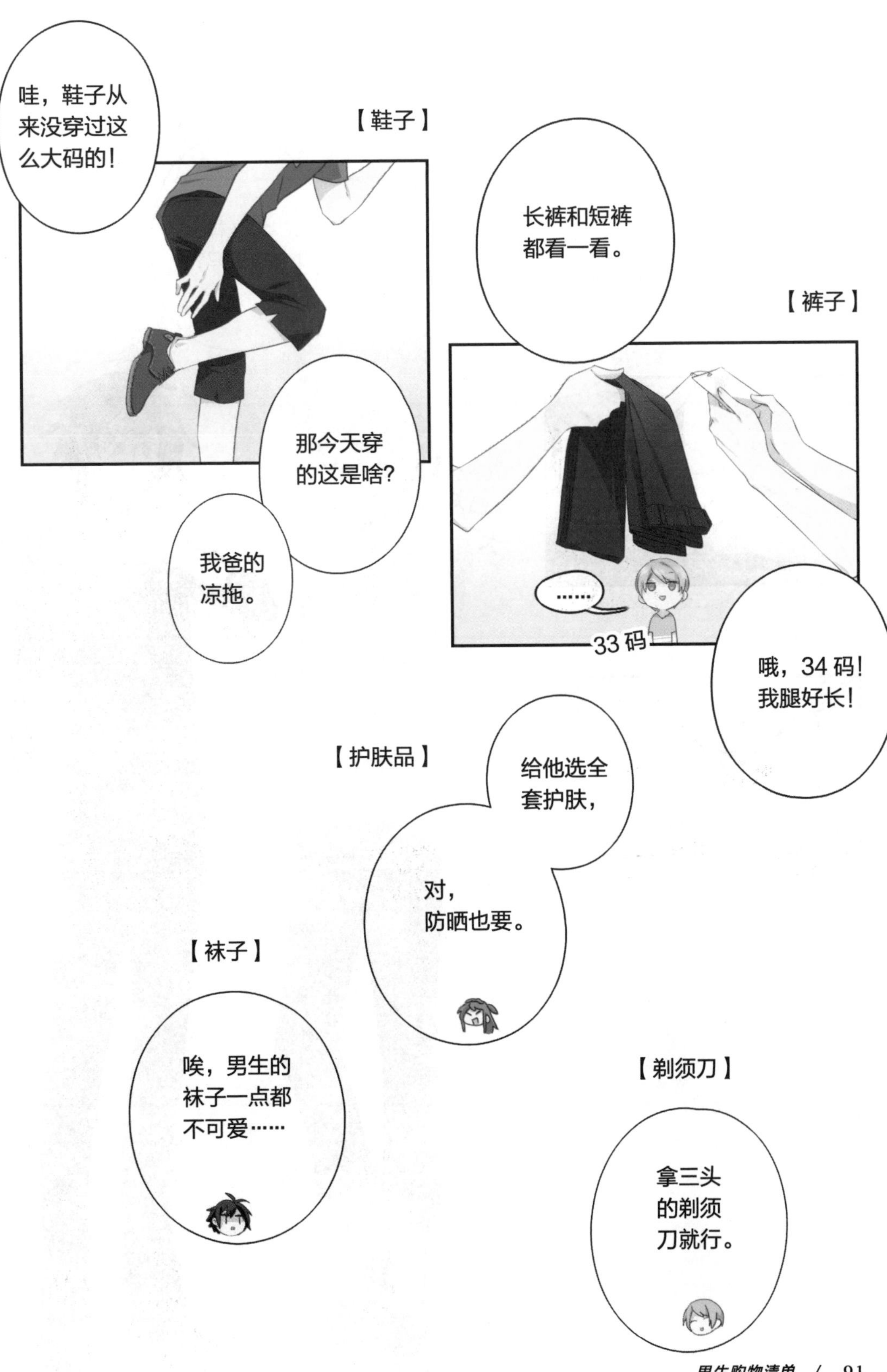
【鞋子】
哇，鞋子从来没穿过这么大码的！
那今天穿的这是啥?
我爸的凉拖。
【裤子】
长裤和短裤都看一看。
……
33码
哦，34码！我腿好长！
【护肤品】
给他选全套护肤，
对，防晒也要。
【袜子】
唉，男生的袜子一点都不可爱……
【剃须刀】
拿三头的剃须刀就行。

【T恤】

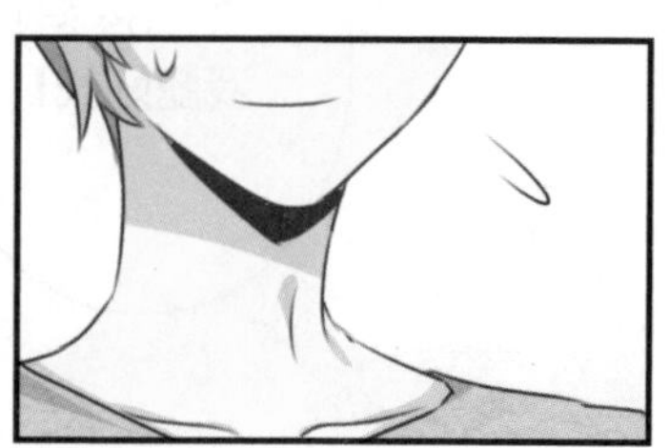

咔嚓！

哇，
立夏你
在干吗？！

咔嚓！

有帅哥不拍，
天诛地灭！

咔嚓！

咔嚓！

快看那两
个人！

衣服好配哦！

快住手啊！

买得差不多了嘛……
小裙子真可爱……
洗手间
啊。
好。
帮我拿一下，我上个厕所。

说到上厕所……

……

……

哇，用左手什么的！快停下你的脑补画面啊！

小寒是男人是男人，是哥们儿是哥们儿……没什么大不了的一点也不尴尬！

……

……

等等……

不对！

糟糕！
变态！
啊呀——
有男的进厕所了！
TRC
揍他！

05 CHAPTER FIVE 第五章

我要男女平等

吓？！

（调整内衣）

吓？！

变态！
大变态！

竟然敢进
女厕所！

出去！

呜哇！

臭不
要脸！

长得挺好，
怎么能干出
这种事呢！

流氓！

啪！

马上就被
打出来啊！

欸?

抱、抱歉！
他、他不是故意的！
欸……
只是走错了！
哼……
总之对不起！真不是故意的！
胡说！
俩人还能走错？！
他还有同伙！
报警！揍他！
反而起到了反效果啊？！
现在流氓都团体作案了吗？！
呜哇！
揍他！
呸！
TRC

吵吵嚷嚷
嗯?
喧闹不休
变态!
太差劲了!
想跑?没门!
坏人!
给个交代!
不是的……真的不是你们想的那样……
立夏救我!
仿佛明白了什么……

道歉！
革命
这种事情……
先道歉！
啊？

错了就是错了！
没什么好解释的！
非常对不起！

你们别看他现在这个样子，他以前可是个女孩子，但是她天生是个性别认同障碍患者，认为自己应当是个男人，所以从小到大作为女孩却又一直喜欢班里的女同学。
大学的时候她爱惨了一个女生，结果可想而知，她连备胎都排不上。这样子痛苦了三年后，她终于受不了，崩溃了，最后去韩国做了变性手术。
话虽如此，
还请给我们一个解释的机会，而他……确实有难言之隐！
虽然做了手术不如原装的，但也还是可以被那啥的。所以他刚回国打算继续追求女神，这次进错厕所，作为朋友我也是很痛心。
他还没习惯性别。以上的话，句句属实，我以人格担保！不信你们一会儿看他走路绝对特别娘！一点都不像男的，真的！
吓？
事情是这样的……
这个人……千万不能惹！

八卦越离奇，
可信度越高，
快走快走！
我感觉整个
商场都在看
我……
（立夏你这样
乱讲我，我
真的很痛心。）
别回头！
快走！
（帮你解了围，
有什么不满？）
世间万物多奇志……
哎，你们看他
迈步真的跟女
生一样。
现实永远比
故事更精彩。
革命

onald's

……

……

根本不愿回想，

我是怎么成功攻略“在男厕所解决人生三急”的。

最后使用了封闭蹲位卫生间。

刚才那俩男生一起上厕所，还手拉手！

咔！

凭什么……

不能手拉手啊？

（而且我明明只是拽衣角……）

男生手拉手确实有点……

为什么不能穿小裙子啊？

大概会被其他男生嫌弃？

为什么不能坐着解决嘘嘘问题啊？

我可不
可以……
不当男生啊?
对、对
不起……
我……
嗝!
我忍不住,
嗝——
呃!
真的是……
很不安啊……
完全不能适应
啊——
好好,
不哭,
乖——
不哭,
不哭啊——
我明明没闯
红灯嘛!为
什么会变成
这样子?!
不能这样不能
那样的!裙子
有错吗!这个
世界还有天理
吗!
说好的……
男女平
等呢!
……
……
呜呜

已经……开始
无理取闹了啊……
……
小……
小寒啊，
已经是男生
啦，就不要
哭了啊。
又不是我想
当男生——！
连哭都不
让啦——！
正所谓——
男儿有泪
不轻弹！
流血不
流泪！
扑哧！
哇——
喂，你们家
就是这么哄
人的？
是啊，我
爸就是这
么说我的。
哇——

怎么办呀，
哭起来好
可爱，来，
擦鼻子。
我还没看过美少年哭
得这么梨花带雨的。
呜呃
立夏你……
!
WcDonal

快看那男生哭了。
天哪，两男一女的故事好乱。
感情纠纷？
你喝的，是可乐。
这是W记，不卖酒精饮料。
小寒，回家吧，阿姨要担心了。
我不！让我醉！

该来的总要来

●●●○○ 中国电信
下午7:30
53%
返回
微博正文
搞热门
刚刚 来自微博 weibo.com
两男一女疑似感情问题当街开撕，其中一男哭瞎当场。当众大喊宣泄，质疑男女不平等，为何穿裙子会被社会不容。小编想问：在女生声张权利的今天，是否也有针对男性的性别歧视？欢迎讨论。
转发 1656
评论 94
赞 1134
天冷地滑
7-2 10:47
20
我看到了！那男的挺帅！
lily_lady
7-2 10:19
25
裙子怎么了！我就想看男人穿裙子！
誠懇
7-2 14:09
21
这届路人不行，不够包容，支持真爱真性情。
荔大叔
7-2 09:24
3
世风日下 人心不古
更多热门评论 >>
青春不再
7-2 17:18
现在的年轻人都怎么了
转发
评论
赞

这……
啊呀，
被大V
转发了。
↓为了赌气穿
上了裙子
←不放心所
以跟回家
完全不开心啊！
谁快来把被偷拍
的照片删掉啊！！
怎么说呢，小寒
你以一人之力，
成功引发了男性
平权的大讨论啊！
（简直是平权
运动的先驱）

立夏，我
想了想，
其实当男人
也挺好的。
以后再也不
会有生理期，
肚子不会疼。
也再也不用
穿 BRA 了，
其实穿久了
好难受。
个子长高了，
也能够到地
铁、公交里
的扶手了。
饭量涨了两倍，
喜欢吃的东西
可以吃到爽。
力气也明显变大
了。说不定可以
帮我妈扛大米……

欸！
公主抱！
我可以公主抱了！
（立夏，快让我试试！）
（哈……）
你刚才还哭咧咧地不愿接受事实……
对！我需要治愈的公主抱！
立夏，快让我抱！
（跃跃欲试）
（靠近）
快来治愈我的心灵！抱一下！就试一下！
呀，走开！别过来！我要过肩摔了！

此后
数日，
相安无事。

TR 偶像事务所

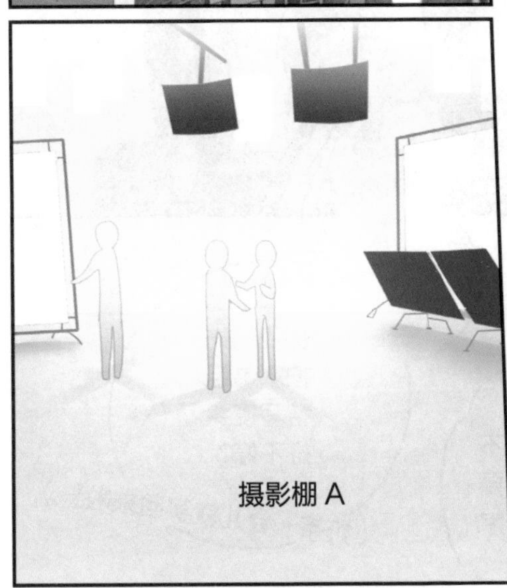

这次的代言
非常契合白
鹿的风格，

这套写真已和多
家媒体预订了版
面和首页大推，

配合近期的活动
效果一定很 OK，
所以打起精神来
好不好？

嗯……

经纪人
→

☆白鹿牙
（偶像）
叫我牙，
单字“牙”。
人家多巴胺分泌不足，精神没有了，要喝奶茶才能起来。
……
小陈，你去茶水间给白鹿打杯奶茶。
（欸——）
公司的奶茶不好喝啦，我要喝外面糖糖家的奶茶！
嗯……
那我们先拍了这组特写镜头好不好？
（奶茶一会儿就买回来啦！）

小寒姐，
我想喝
奶茶……

然后——

不要公司茶水间的只要外边糖糖家的红豆布丁奶茶，大杯常温，多加一份红豆，多糖，用手机付款优惠两块钱，对不？

很好，
非常好。
咔嚓——
来，看镜头！
咔嚓——
咔嚓——
辛苦啦。
休息一下，
换套衣服。
白鹿先生，
你的奶茶。
嘤，
加冰了。
想要小寒
姐姐。

嘟——嘟——
喂?
小寒，赶
紧看微博!
上热门了!
上热门了!
咔嗒!

立夏啊，
怎么啦?
（上什么热门？）
没、没事啦！
妈，你继续说！
这是那个科研
机构给办的，
新办的身份证
和档案。
和小寒本身
的履历基本
一致，只是
换了身份证
信息。
……
放心吧，
除了信得
过的人，
其他亲戚朋友认识的人我都
编好了！说你去外地治病了，
现在家里这个
是来念研究生
的远房堂哥。
名字……
好难听……
（唐大寒是谁……
我拒绝认识……）

与此
同时，
偶像事
务所。
哎，我跟你讲，
我负责的那个
小偶像，天天
都在念叨他的
前助理。

听得耳朵都起茧子了，说是那前助理出国留学，
其实是出车祸了，好像蛮严重的，经纪人不让我说，怕影响他心情。
（唉……也是可怜！）
你说什么？
请把前因后果详详细细地告诉我，不要遗漏哦。
嚼嚼

你说
什么？！
已经定
好了，
明天下午
5点，
是相相
相相相
相亲？
星海小鲜楼，我
广场舞战友同事
家的孩子，当护
士的！可好了！
噗！
别紧张！
紧张啥啊！
放心去！
妈都给你
安排好了！
菜都点完了！
哈哈，当年
你爸也这样，
不愧是遗传，
哈哈！
妈，我的心，
就像你拍的这
一掌这么痛……

第二天，
下午 4 点。
咔嗒
啊。
福照家门万事兴

糟糕，从换女装到打电话还有快餐店大哭后还是有点尴尬……
啊，谷雨哥，出门呀?
啊，我妈给我安排了相亲，我正要去。

那我们一起下楼。
……

要相亲?
谁啊?!
是阿姨给安排的?
年轻时叫人家儿媳妇!
现在儿媳妇变汉子!
就让儿子去相亲?!
小寒……下楼呀?
……

嘟——
嘟——
喂?
喂!
立夏!
谷雨哥要去相亲了!
你陪我去看看!
啊?
隔壁阿姨给谷雨哥安排了相亲!她以前还管我叫儿媳妇来着!
(就这样被背叛!)
相亲很正常啦,等他回来,你问问不就好了。
我这儿最近衣服上新,好几个大单呢,不去了啦。

到底爱不爱
……
怎么敢去
友谊的魔法呢？
立夏，你感受一下，你的朋友去相亲，
暗恋他的闺密要去现场搞破坏，这么大的一场戏，你要不要看？
嗯……
你说得对！我这就出门！
呵……
（真好懂。）
星海小鲜楼

立夏，我已经尿了……其实仔细想想，谷雨哥相亲也没什么不对……我们回去吧……
呵呵，我就知道你有心没胆。
啊，我只是暗恋而已，一点立场都没有，暗恋就应该做到暗恋的本分，默默地在他结婚的时候包个大红包送上祝福就好了，呜呜呜……
开什么玩笑，我为了（看这场八卦好戏）……为了你分分钟放弃好几个大单，四舍五入一个亿的生意！你说不去就不去了？！

立、立夏
不要啊！
要不我们
偷偷看一
眼就……
来都
来了！
咦？
小寒？
你们也出
来逛街？
好巧。
欸？
→
相亲对象
夭寿了！
（闽南语，剧情很狗血的意思。）
（一记直球！）
啊，都是
我朋友。
哦！

哎，
来了——

阿姨好，
我来探望
小寒姐。

☆白鹿牙
（偶像）

啊……
请问……
白鹿牙，
复姓白鹿，
单名牙。
谁？
竟然不认识我！

不，等等——
说实在的我确实也没那么火，不至于尽人皆知……
但小寒做我助理这么久都没有和家里聊过我吗?
所以结论就是……
我……我是唐小寒的学弟，听说她病了……我来看看她……
哦，我们家小寒车祸比较严重，危险期倒是过了，但复健没办法，只能送到外地去治，
双重打击！
Combo！
我没有人气，
小寒姐姐根本不在意我。
没个一年半载怕是回不来了。
啊？！

……

红豆布
丁奶茶，

大杯常温，
不加冰，多
加一份红豆，
糖多放一些，
可以用 xx 宝付吗?

【十分钟前】

和立夏出
来玩呀?

嗯……
啊！我俩
就先走……

没吃饭吧?
要不要一起?

（刚才我出门
的时候，你
还没吃饭呢。）

欸?
你这是打
算好好相
亲吗？！

难怪单身
这么多年!

好啊，一起
吃热闹，我
不介意。

这位姑娘，
你也是心大啊，
喂？！

小鲜楼的
海鲜还是
不错的。
哦哦，立夏
这个好吃！
你吃吃看！
好。
嗯……
你们是一
对儿吗？
哈？！
谁会跟她
一对儿啦！
其
实……
呜哇！
女生漂亮
男生帅，
竟然不是
一对儿啊？
啪！

我妈说你是
做软件的，
感觉好厉害！
其实是做游戏，
写程序的。
欸，
什么游戏？
想玩。
紧盯→
嗯，安卓
的行吗？
有卡牌游戏和
休闲类的，你
手机拿来我帮
你下……
嗯，你要是想
玩的话，送你
钻石十连抽。
你都没
送过我
钻石十
连抽！
世联？
失恋？

那个……护士工作是不是特别忙？经常加班吗？
呃……

嗯，是啊，虽然现在还是实习护士，不过还挺忙的，没事就加班，病人多的时候打针、换药、备皮什么的，忙都忙不过来……
（你们来医院找我打针，我打得可好了。_）

哦，对……你们不会想知道什么是备皮的……

【酒足饭饱】
呜哇，
好好吃！
啊！
立……立夏，
我想上厕所……
哇啊，万一
里面人多……
我陪你去？
不过只能
到门口。
早晚都要
突破这一
关的啦！

那个……
我去趟洗
手间……
啊。
我陪你去吧。
速去速回！
啊，好尴尬！

???
欸?
他们是
不是……
嗯……
不……不是!
真不是!
(快住手啊!)

【第二天，周一】
嗒嗒嗒
啊，小寒。
啊，谷雨哥，这么早就下班啦?
嗯，今天没啥大事。
可回收

嗯啊，森林这么大！总会遇到对的那一棵的！
（YES!）
嗯……其实也还好啦……
（没什么……）
（小寒超爱的谷雨公司开发的卡牌游戏↗）
对了，你的账号我帮你玩了。
欸，真的？！我看看！
欸，你换手机了？
（掏掏）
嗯，上一个车祸碎了嘛，电话号也得改，索性全换了。
什么！
六、六个五星卡？！

嗯，三个月
的活动送的，
攒的钻石
一点没动，
就等着你
抽十连呢。

有朋若此……
做“0”
也认了！
欸？

十连抽卡，
三星保底，
有可能抽
到五星卡。
十连召唤
单次召唤
是
再……
再来一次……
一定可以的……
十连抽卡，
有可能抽
到四星和
五星哦！
是
十连召唤
单次召唤
45

三星保底
冷静！
还能抽3次！
……
（8个两星……）

四次十连，次次保底。
三星保底
again
我以为我
起码能抽
个四星……

不管怎么说，
之前尴尬的
气氛总算过
去了。

（嗯嗯。）

哦对，
有个事儿……

嗯？

小寒你……
现在喜欢男
生还是女生？

口立夏
找借口逃走后。
【路上】
今天海鲜
真不错，
下次去吃
重庆火锅吧
←超级能吃辣
啊，这个！
【电影院】
特别想看这
个新上映的
《画脸》！
←完全
最近的“守护先锋”和“小动物”
都特别棒！等“小动物”上线了
就可以出门狩猎了，不过据说火
精灵真的放到了火山口，有必要
的话可以去一趟长白山……
【路上】
嗯……嗯！
刚才的游戏只
玩了“消消乐”→

【分别时】

我们爱好、性格差太多了，

可能没法深入相处了，不过，你做的“消消乐”很好玩啊，做游戏好酷啊！

谷雨是卡牌游戏组的→

对了哦，如果方便的话，

可以帮我要一下黑衣服小哥的电话号吗？

我……我试试问问他……

多谢啦！你真是个好人！

呵……都是套路……这个看脸的世界啊……

谁……
谁会喜欢
女生啊……
我喜欢的……
是男
人啊！
呼——
呼——
咔嚓！
咔嚓！
咔！
咔嚓！

这日子没法过了

我喜欢的……
是男人啊！
喂，
喂？
我的娘哦！
呃……
这就是传说中的那啥现场吗？！
啪！

女儿你……
喜欢
男人？！
说的也是，
她本来就
喜欢男人……
（女儿长大了……）

爸，我们
回来过周
末啦。

什么时候给我们
抱个孙子、孙女呀?
来吃!

咿呀——!
唐家无后了啊!

不不不
不不不
不——！
就算小寒将来
受性别影响变
得喜欢女人……

我已经怀了
小寒的骨肉。
（已经三个月了。）

爸，你
看一下，

礼单

这是结婚
用的礼单。

彩礼
房子
装修
旅行
车子
婆媳关系
三金首饰

……

为什么生了个女儿
却带回来个儿媳妇啊！

这日子没法过了！

风言风语当晚就传遍了整个小区

并且 20 多年的细节都丰富极了

女儿车祸就把私生子接了回来！

还说是侄子，啧啧，我都听到那小伙子喊爸爸了！

没良心！

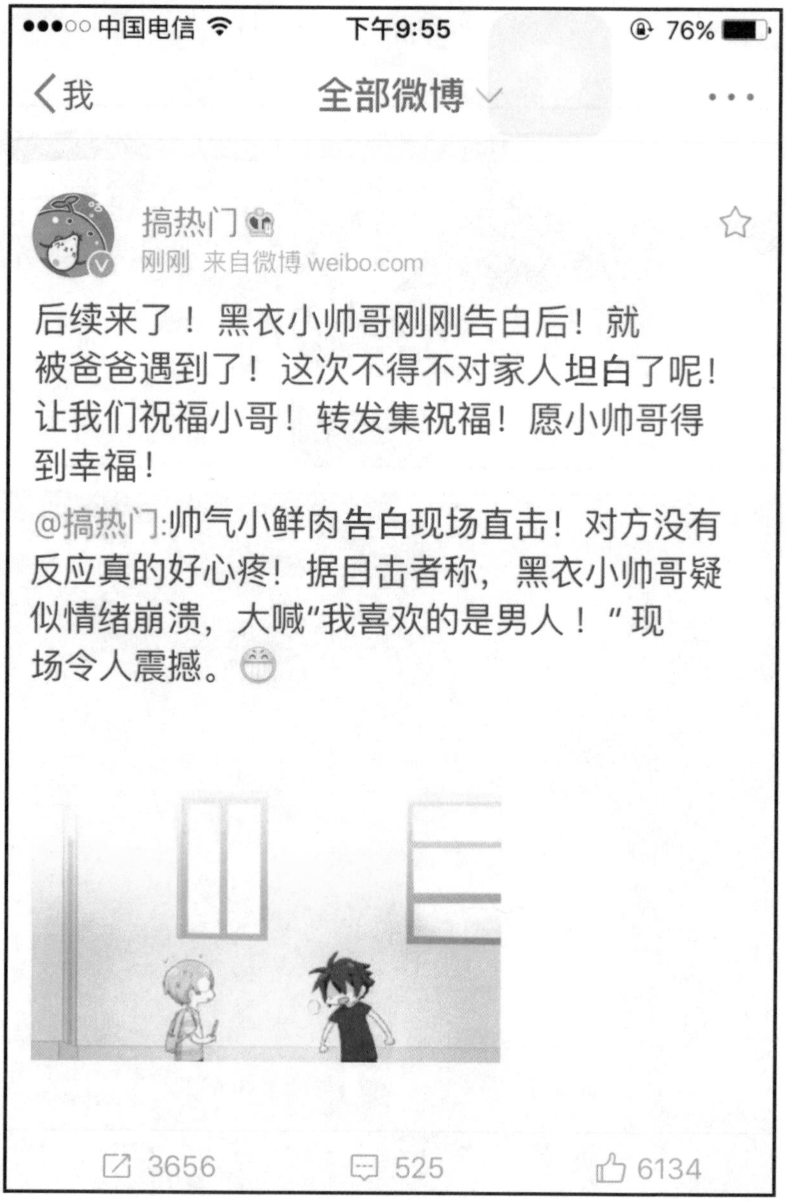

●●●○○ 中国电信 下午9:55 76%

〈我 全部微博 ∨ …

搞热门
刚刚 来自微博 weibo.com

后续来了！黑衣小帅哥刚刚告白后！就被爸爸遇到了！这次不得不对家人坦白了呢！让我们祝福小哥！转发集祝福！愿小帅哥得到幸福！

@搞热门:帅气小鲜肉告白现场直击！对方没有反应真的好心疼！据目击者称，黑衣小帅哥疑似情绪崩溃，大喊"我喜欢的是男人！"现场令人震撼。

3656 525 6134

喂……

嗡嗡嗡嗡——

嗡嗡——

小寒你又
上热门了，
当场告白
邻居哥哥
哈哈！

被叔叔看到了，
哈哈！

【游戏公司】

看不出来啊
谷雨，当场
公开了啊！

你别瞎说，
那叫告白！

报错
报错

老婆你怎么能怀疑我对你的爱！

小寒乖女儿她……

天大的误会啊！

啊，头疼。

老婆你听我解释……

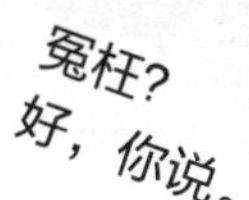

冤枉？
好，你说。

没有
奶茶，
也没有
小寒，
活着还有什么意思……
他这样多
长时间了？
昨天回
来就一
直这样。
这样不
行啊，
今天的工作
都完成不了。
（难得在上升期。）
宝宝心
里苦……
宝宝偏
要说……
（这样吧，）
你给那个小
助理打电话
问候一下，
带点礼物去
拜访，如果
能回来最好，
身体没恢复
也托她劝劝
白鹿。

咦……
那个人好
像是……
就是那个吧?
当场告白男
生的?
我还是第一次
看见活的呢!
怎么搞得好像
人尽皆知了啊……
这么快就
传开了啊……
你看，你看。
我只是想安静地
吃个火锅啊……
哇，长得
还挺帅!
唉，好好的
一个小伙子!

（哎哟喂——）
那不是公开告白邻居哥哥的吗？
放着旁边的大美妞不管，
是不是有问题，哈哈……
好恶心啊！
欸，你看他走路的姿势也有点娘！
欸，你绕着点走，
小心他看上了你。
也不知道有没有病，
真是可笑。

你这个该撕
嘴巴的——
别生气，
抓住
这种事情，
怎么能让女
孩子出头呢。

你想干吗？！
离我
远点！
哇啊，
你要干干
干什么？！
你干吗？
（要打架吗？！）
啪嗒
别小看码农长年
修炼出来的手劲儿啊！
啊……
能别自作
多情吗？
咚
也不自己
照照镜子？
我就算再
喜欢谁也
看！不！
上！你！

全天下喜欢
男人的女人
那么多！
有一个看上
你了吗？！
（Excuse me？！）
扑哧
←没有→
呵呵。
（我好帅！）
好厉害！
瞧给你
能的。
好有道理！
被说服！

小寒果然
还是小寒。
啊?
真抱歉，之前是我想多了，小寒是男生还是女生都是一样的。
喜欢男生还是女生也没有关系。
（我差点也自作多情地偏见了，抱歉啊。）
放心吧，我们还是好朋友，这个是不会变的。
（下次我们一起穿那件小鸟的衣服吧。）

立、
立夏?
噗……
（怎么办啊？！）
（和以前一模一样啊，
真是一点都没变。）
等一下……
你误会了！
被发了朋友卡？
我看上的就是
你啊！
我确实喜欢的
就是你啊！
走啦，
去吃火
锅啦！
哇啊！
好悲伤啊！
嗯?
对了，小寒你
怎么知道他是
单身狗啊?
这个黄金约会
时间，不陪女
朋友，和基友
一起出来浪，
还不是基佬的，
怎么可能有女
朋友啊。

08 CHAPTER EIGHT 第八章

唐大寒上班了

你单位来人问小寒要不要回去继续做助理，我说你去外地治病啦。不过大寒要不要去试试，还去那里上班啊？
（顺道融入社会。）
……
甭管别的，咱们又不是富二代，阿姨倒也不用你补贴家用，不过有机会工作就有钱买裙子啊……对了，你现在不穿小裙子。
……
经济独立很好啊，可支配的财富拿来做想做的事，买想买的东西，很爽的。
（比如氪金玩游戏。）

所以这就是——

我会到这里再一次面试助理的原因。

……

这是原来那个小助理的堂哥？

（也是白鹿的粉？）

对，来面试白鹿助理的，还有两个面试的在楼上等着呢。

（其中有一个是白鹿牙吧的吧主。）

你先带他去试个音。

（这颜值有点厉害啊！）

欸？！

（这是要发掘成偶像吗？！）

←其实在回忆前两天被谷雨发的朋友卡

你好，请先跟我去录音棚试个音，唱首歌。

好的，麻烦了。

白鹿，
这边！
？
欸，
不是——
小雅姐！
有个来面试的
买的，在棚里
试音呢，我帮
他拿一会儿。
面试助理
的都来了，
我们过去
看看吧。
啊！
糖糖家
的奶茶！
吸
噜
噜
噜
已经喝
了啊！
（什么时候
拿走的？！）
小雅姐给
我买的？
小雅真好！
公司附近那
个搬走了，
好伤心的。

【录音棚】
怎么
说呢……
长这么好看，
这么大岁数还
没有被发掘，
果然是有原
因的……
（大概只能做平模了……）
……
我今天算是领教了
“荒腔走板”这个
成语到底是什么
意思了……
红姐，我
能把声音
关了吗……

【棚外】

……

谁买的奶茶?

来面试助理的人带来的，现在在2号棚试音。

咦，跑好快? !

像狗狗一样快? !

【录音棚】

牙……

……
欸?
→不认识
怎么了，突然跑进来?
欸?
→认识
→认识
奶茶是你买的?
嗯……啊，是的。
……

就是给你
买的啊！
大男人买
什么红豆
布丁双糖
不加冰啊！
你不就是
男人嘛！
不领情的
小兔崽子！
好生气哦，
可是还要
保持微笑。

欸？！你是
小寒的堂哥？
是堂哥……
奶茶是小寒托
我买给牙的。
你来应聘
我助理？
小寒她……
关心我！
嗯，对。
就是他了！
斩钉截铁
吓啊？！
……
欸？

不……那个……
还有两位应聘者
在楼上……

（我不管！）

我只
要他！

（弱水三千！
只取一瓢！）

醒醒啊——！
俗语用错
地方了啊！

嗯，好的呀，
他们可是我可
爱的粉丝啊！

这样吧……

你至少见一下，
走个过场，给
他们签个名之
类的……

（小雅先带
白鹿过去。）

什么？

诶……

啪！
恭喜！
恭喜成为白鹿牙的助理！下周一就过来上班吧。
咦?
啊?
等等?
面试呢?
面试去哪儿了?
说好的回家等通知呢?
都不按套路掩饰一下吗?
哪里不对?
谁来给我解释一下?
事情发生得太快，就像龙卷风……
嗯……
啊……
谢谢红姐……

就这么面
试成功了?
太刺激
了……
哎——
前面的
小哥!
前面那位
蓝衣服的
——
小寒的
堂哥!
欸?

啊呀！
小心！
呜哇！
小寒还好吗？
我听说她去
外地治疗了？
呃……嗯！
还好还好。
到底撞哪
里了？伤得
严不严重？
本地都没有
医院能治吗？
呃……
骨折……
现在身体恢
复得怎么样？
拆石膏后
还要复健
半年多……
还痛不痛，
能打电话吗？
医生说短
时间最好
不要……

小兔崽子
还挺有良
心的嘛！
牙……白鹿
先生这么喜
欢小寒啊?

嗯！
最喜欢
小寒了！

……
哈哈，放心吧，
小寒不会有事的啦！
那就好，哈哈！
（奶茶没白买嘛！）
完全没 get
到重点并且内
心毫无波动→
←不明真相的
偶像并兀自
沉浸在幸福中

当当当——
哎——
来了——
妈妈我找
到工作啦！
噗——
哇哦，恭喜
大寒
先生！

太好了，晚上加鸡腿，
加红烧肉，加奥运菜！
……

丁零零零——
喂？
立夏？
丁零零零——
丁零零零——

小寒，你面试成功了吗?
嗯！我有工作了！
嘿嘿！
恭喜呀！
我的网店现在决定卖男装啦！货已经到了！你现在快来给我当模特！
欸?现在？！
（呵——）
我还约了谷雨，他马上就到了，你来不来？
马上就到！等我！

帅哥你是谁

在换要拍的衣服→

轰！
啊，
小寒？
吓
啊
啊
啊
！
怎么了？
欸？
←笔直的直男
并且对世界
一无所知

根本挪不开
眼啊……

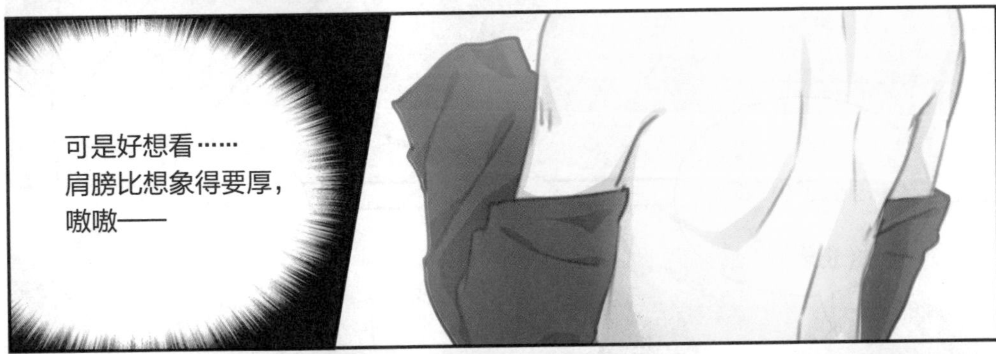
可是好想看……
肩膀比想象得要厚，
嗷嗷——

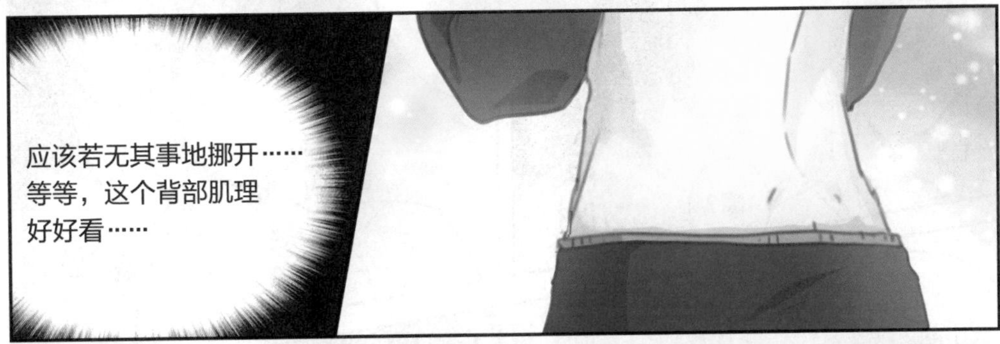
应该若无其事地挪开……
等等，这个背部肌理
好好看……

一直没眨眼，眼好痛→
腰窝？！
那是腰窝吗？！

糟了……
扑通扑通
怎么了小寒?
（进来呀？）
立夏，你帮我
挡一下……
嗯?
扑通
哦!
扑通
小寒，
你知道吗，

现在你脸红颤抖的样子看起来实在太可爱了！
（真有趣……）
抖抖抖

怎么了？怎么了？
没事没事！

欸……
等一下……
没事没事，
一会儿就好了。

哪里不对？！

……
【卫生间】
我总算知道……
用下半身思考是什么意思了……
亏我还以为是普通的怦然心动导致了普通的心率过快！
快点给我消退啊！
是不是应该冲个冷水澡？
啊，好难受……
好着急啊！
好看，我要刻印到脑子里！
快停止脑补啊！

咔嗒
【五分钟后】
好尴尬……
总算解决……
了……
拉肚子了?
这么久。

盯——

我再……

上趟厕所……

咔嗒

我说，
立夏啊……
我们真的，要摆这个姿势拍照吗？
我觉得哪里有点怪……
镇定点，镇定点，不想再上厕所了……
嗯，我也觉得不太对劲……

怎么可能不紧张啊，男生哪有挨这么近的！
想点不爽的事情把情绪压下来！
放松……
呼吸……
啊，是谷雨哥的气味——！
救命——！
嗯，是哦，看起来超“给给”的。
谷雨，你想一下那次敲好代码打瞌睡，不小心按到了撤销键！
小寒，你昨天在游戏里好不容易攒齐了一次十连抽，是不是又保底了！
你俩能不能不僵硬、不脸红、不紧张？

咔嚓——

说真的，立夏，你这真的是卖给男人的衣服吗？

（都比较中性的样子……）

你以为现在的男人有几个会耐着性子挑挑选选的？

只有女友和老婆才会好好给男人挑衣服，邋里邋遢怎么拿得出手？

所以啊，衣服当然是卖给女生的。朴素基本款男生也好接受。

（谷雨头侧一点点。）

专门配合店里老顾客的口味的男装，一定很想给男朋友买吧？

另外卖家的模特也很重要，模特好看衣服就好看。

女生喜欢什么样的男生，我还是知道的。

（看着点。）

谷雨把
衣服拽
起来，

对，
把腰线
露出来，
对了对了。

然后想一下
最近玩游戏，
输得最不甘
心的一场……

呜哇，
差不
多啦！
出去吃
自助呀！
我请！
不了，我妈等我
回去吃，但这顿
要记在账上！
那我上个厕所，
出来就走。
嘻——竟然
在我家厕所
做那种事……
你已经不是
我爱的纯洁
的小寒了……
你在说什么
乱七八……
小寒你今
天上了几
次厕所？
每次就几分钟？
这时间也太短了，
大寒你行不行啊？
呃……
两、
两三次
吧……
是四次！
（别以为我
不知道你
在干什么。）
啊！
立夏你怎么
这么污秽！

我污秽？喊，你看的小说不知比我多到哪里去了！
我才没做那种事啦！
哦？
呼——
呼——
欸？
那个那个……
也就是说……你自打变身以来，还一次都没有……
没有！
（光是为了不甩得到处都是就已经尽力了……）

凑近
最近好不容易接受……

下半身思考是什么感觉?
……
泰迪的感觉……

不过说真的，
男生如果一直没有释放自我，好像对身体特别不好，要落下病的。

不……不会吧？！和尚不也……
人家六根清净、清心寡欲，

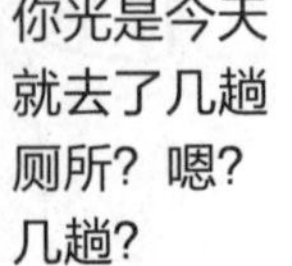
你光是今天就去了几趟厕所？嗯？几趟？
……

【回去的路上】
一定要释放自我吗……
糟糕了……
（男生怎么这么
麻烦啊！）
今年秋天一件衣服
都不用买了。
……
立夏送了一大堆秋装→

15:06
92%
红包详情
微信安全支付
大立子的红包
谷雨就在你家对门，真期待泰迪先生陷入感情的旋涡。
5.20元
已存入零钱，可直接提现
留言
查看我的红包记录

大立子的红包
谷雨就在你家对门，真期待泰迪先生陷入感情的旋涡。

妈，我回来了！
（当当当——）
快洗手吃饭。
这哪来这么多衣服，又让立夏破费了，这孩子真是的。
对了，小寒你先看下这个。
啥？
这是——
给你做手术的科研机构，
要你这两天回去体检。

10

CHAPTER TEN

第十章 这里到底是什么地方

【夏末，周日，晴】

【前晚，求助立夏】

立夏啊！

给我做手术的科研机构要我去体检，不知道为什么不让父母陪。

我有点胆小……你能陪我去吗?

【今天上午】

你好，我们来接唐小寒女……男士去体检。

请多包涵，我们的原则是低调行事。

（黑……黑衣人？！还是双胞胎？）

这样的装扮……WHY？！这叫低调行事哦！

【小区门口】

这个车厢……
是全封闭不透
光的啊！
看不到外面
完全不知道
要去哪啊！
（我已经后悔
陪你去了啊！）

【两个小时后】

在下降？！
到底是什
么地方！
哐哐哐——
到了，
请！

欸？！

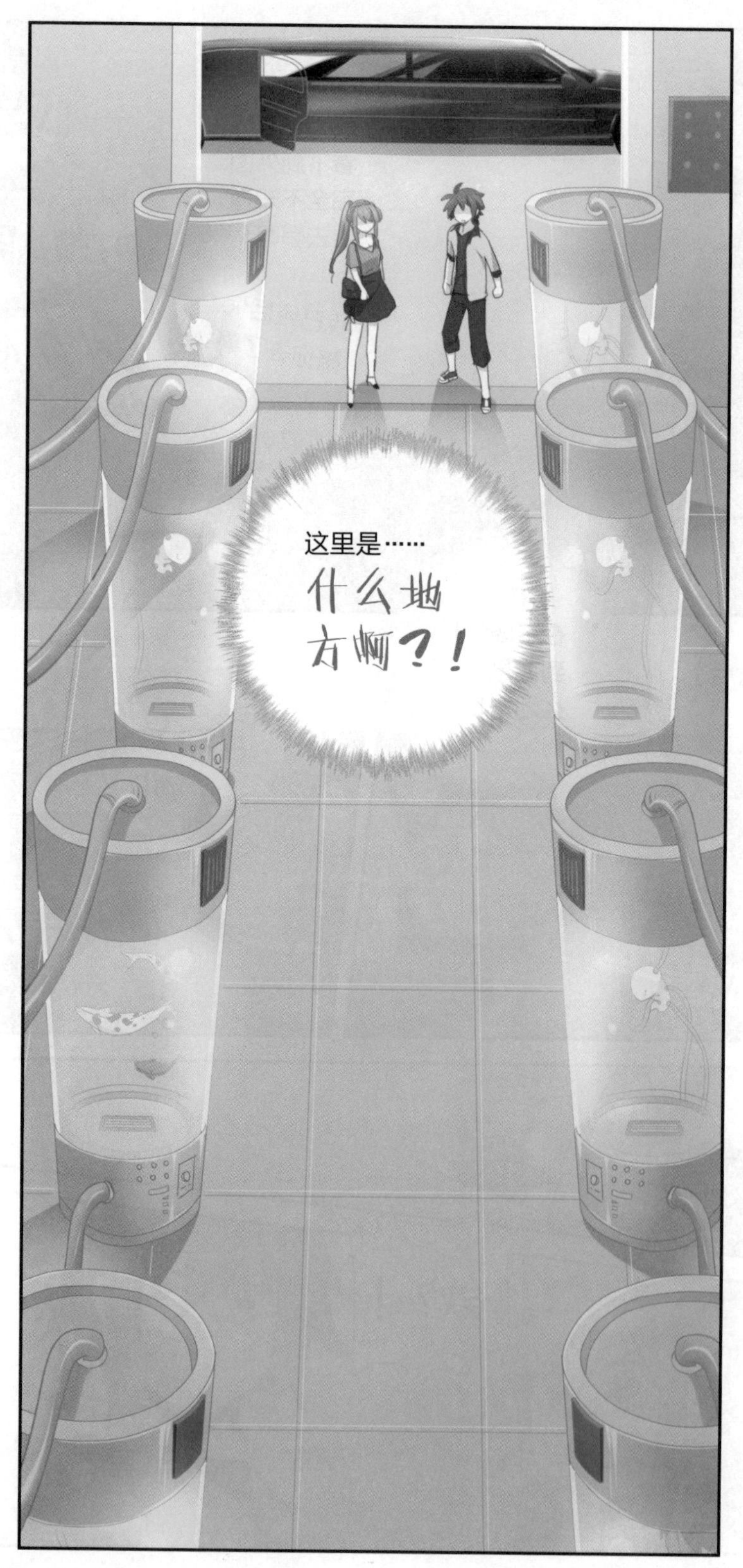
这里是……
什么地方啊？！

欸？！

这是——！

我的
天——
啊……
那不是
你的身
体吗?
连个裤衩都
不给我穿!
他们没给
我穿衣服?!
倒是关心一下你
的身体回来了啊!
你关心的
是这个吗?!

怎么样，
这个身体很完美吧……
啪！
啊！
我的鼻子！我的鼻子啊……好酸好酸好酸——！
对不起，下意识就出手了！

这个身体是……
我是你的主治医师……手术是我做的，
感谢我吧。
（嫌弃！）
（嫌弃！）
嗯？
哦对！
厉害吧！这个身体简直完美无瑕……
不——
不要看啊——！
我的眼睛！
我的眼睛！

你为什么不
给我穿衣服?
旁边那缸
锦鲤也没
穿衣服啊!
(那能一样吗?!)
为什么会在
高科技装置
里养锦鲤啊?!
空着也是空着,
不能浪费!
(你们年轻人根本
不懂得节约!)

那也不能放在
这儿让所有人
都看啊!
没有很多人!
这个机构还
不到100人!

你……可我
是女孩子啊!!
(呵……)
我是医生,
这世上还
有什么我
没看过。

不到……100人……
100人……
100人……
100人……
100人……
BOOM——

严格来说，那个根本不是你本人……
只是你的克隆人。
也不想想全身粉碎性骨折和内脏全部破碎怎么可能救得回来。
（啊，我的眼……）

虽然按照当初约定的条件，你的遗体捐献给了我们。
不过破烂得太厉害，眼角膜都没法用。
葬了，要花钱，
扔了又有点浪费。
不如节省一下，就顺道做了具克隆的躯体。
（科研工作者苦啊——经费要省着花啊——）
我真是谢谢你啊——！
啪嗒

所以，
其实我能换回我原来的身体？
（是不是？）
在一切条件完美执行的情况下，是可行的。
博士，你应该闭上眼睛休息一下……
欸……
完美条件……是指什么？
其实说白了就是——
运气和钱。

欸?
手术成功需要大量的临床经验，
这个手术一共才做过一次，
你觉得下一次成功的概率有多少?
博士把手机给我。
……
一次?
对，就你那次。
我是第一只炮灰小白鼠哦?！
那我是怎么活下来的?
博士，休息……
呵，

因为我是个
彻头彻尾的
天才！
好气哦，
你刚刚明明才说是运气的。
镇定点，
只有他才能给
你做手术。

（运气我已经懂了……）
那么，
钱是指……
5万？
嗯？加零。
50万……
加零。
5、500万？！
（这么贵？！）
手术费。
看在你上次给我做实验还成功了的份儿上我可以给你打7折。
（毕竟第一次小白手术，不好意思收钱。）
也就这个数→
不过倾家荡产也不是不可能，家里房子卖了的话……

想什么呢。
再加个零好吗？
（给我手机
玩会儿。）
博士，休息
一会儿啦。

5、5、5、5、
5000 万？！
博士，眼
保健操……
把我卖了也
卖不出这么
多钱啊！

也是啦，5000 万
美元是不太好挣。
（我理解你，钱不
够花很痛苦。）
三二三四
五六七……

美……
小寒你
没事吧？！
没事吧？！

请跟我到
这边检查。
唉……

请这边走，
我们送您回家。
唉……

现在美元的汇率
是 6.67，5000
万美元折合人民
币 333500000……
三个多亿……
把我全家都卖
了也不值啊！
哐哐哐——
假设我还能
活 60 年，
也就是 720
个月，那每
个月至少要挣
463000……

已经到
了，请。
走了喂！
吱——

人！只要活着
就有希望！
先定一个
能达到的
小目标，
比方说我
先挣他一
万块。
立夏，我
想通了。
向金钱势
力低头？
一辈子做
男人了？
啊……
全身上下
充满了穷
的气息！
才不呢！

【与此同时】

快！快点！

急诊抢救
Emergency Room

让一让！

博士！
博士！
砰
医院那边
来消息说，
嗯？
有个男性
大脑捐献
者出现了！
嘻……

妈，我
回来啦！
妈！爸！
我能变回
女生啦——！
欸？
（大夫怎么说的？）
当初不是把我
的身体捐献给
那个科研机构
了嘛！他们用
我的细胞克隆
出一个没有大
脑的躯体！
克隆人？真的吗？
不会还是小婴儿
吧……听起来好
科幻……我看电
视里的小羊也要
慢慢长大……
（不过不要紧，
小婴儿也能再
养大你一遍！）
我看到了！
不是小的！
和我一模
一样！
（虽然不知道是
什么高科技打印！）
……

收费也对啊，有希望就好了啊！
我的女儿……
不过这次要收费！
能回来了?!
嗯，手术费5000万美元。
喀！

丁零零零——
喂?
什么?!
谷雨哥!
我能变回
女生了!

我今天不是去科研机构复查体检了嘛……
克隆体（此处省略五分钟）——
原来是这样……手术要是能成功就太好了。
也就是说——
你能变回那个比我矮的小寒咯！
这么在意身高哦？
总之万事俱备，只欠手术费！
我要攒钱做手术！
嗯，这种手术需要很多钱吧？
（我也帮忙支援一下啊！）
有点多！5000 万美元！

←第一次出场
的谷雨爸爸

……
……
洗洗手，
过来吃
饭啦！
哦——
来了——

“美拉德反应逆袭！”

吃饭啦！
赶紧的！
信不信
我把电
闸拉了！
谷雨快去！
你妈生气了！

苍茫的天涯是
我的爱——
绵绵的青山……
喂——
知道了！
嗯！
我这就过去。
谷雨啊，爸出去
一下，晚上你和
你妈吃吧。
欸？这么
晚了都……
这么晚了你
要干啥去？！
我饭都做好了！

我战友，他儿子出意外过世了，我过去看看他。

欸？！谁家的孩子？

也就是……清明哥？

（我小时候见过他……）

老路……

路叔叔？！

咔嗒

嗯，我先走了，回来再说。

老路啊……就那么一个儿子吧，

世事无常啊……

世事无常……

【晚饭现场】

唉，可惜了，上次相亲那个小护士挺好的，工作稳定，收入也高。

我们舞队的老封给我介绍了个小姑娘，下周六去看看吧？

当老师的，教小学语文，咋样？

……

哟！咋个换回去?

我儿媳妇不是说人都给撞粉碎了?

妈，你要有个心理准备，事情是这个样子的——

克隆人体
组织培育
（此处省略
五分钟）……
就是手术
费有点贵。
要 5000
万美元。
咳！
这儿媳妇也太——
贵了？！
不行不行，娶不起
娶不起娶不起……
周六去
相亲！
没得
商量！
斩钉截铁
欸？！

逢年过节

唐大寒篇：

哎呀，这是小寒堂哥呀？
好俊的小伙子。
长得真是一表人才呀！
有没有对象呢？
没……没有……
哎哟，都这么大的人了，怎么还没有对象呢？阿姨给你介绍一个吧？
可别像你堂妹小寒似的，大学都毕业了还没个对象，年纪大了还怎么嫁得出去哟……
就是嘛，我舞伴老王家的闺女长得可水灵了，工作也好，当老师的……
呵呵……
其实我喜欢的是男……
食不言，寝不语！吃饭！吃饭！

哎呀，谷雨呀，有没有对象呢？
长得真是越来越带劲儿了呀，相亲好几次都没个感兴趣的姑娘吗？
哎哟，都这么大的人了还没谈过恋爱，这怎么像话，叔叔给你介绍一个吧？
不……不用……
可别像你单位那些人，都奔三了还光棍儿一条，年纪大了还怎么找媳妇？
就没个合适的女性朋友？合适了就追成女朋友呗！
就是嘛，我舞伴老王家的闺女长得可水灵了，工作也好，当老师的……
我认识的女性朋友啊……变成男人了怎么办……
可不是呗！别人家的孙子都能打酱油了！愁死人了！

林立夏篇：

白鹿牙篇：

喂！妈妈！
新年快乐！
什么——听不清——
我——爱——你——！
啥——听不清——
我说我爱你——！
你爱我你不回来陪妈吃饭！
早点回来吃饭！
要工作啊！我要挣钱养你啊！
不用你养！
我唱完就回去！
要开始啦！
啊好！这就来！
好了不说了，到我了！
买的饺子都坨了！回来记得带点醋！

路清明篇：

新年的钟声即将敲响——
哟，倒计时啦？饺子煮好了，吃吧。
吃完赶紧睡，
高血压别熬夜，我出去一趟。
哼。
都煮破皮了！
速冻饺子就这样！
胡说！老子煮一个都不带破的！！
你自己煮啊臭老头！
要你管啊！
大过年的也往外跑！耍那些朋友！怎么就生了你这么个浑球儿！！

唐小寒篇（上）：

唐小寒篇（下）：

立夏你要干吗？！那是我的祭品啊！
呸！人家都是祭奠灵魂！你灵魂还在这儿，供品是上供给谁呢？
呃……

给我留一个！那可是糖糖家的半熟乳酪！
你说得对哦！啊呜！

年轻人真有活力，哎，我说老唐，立夏做你儿媳妇就挺好。
啊？！

清明篇：

清明之位
清明啊，爸来看你了。
你在那边，怎么样啊？
爹没钱，没买墓……
等爹攒攒钱买个墓，老了爹和你葬一块儿。
你妈还不知道这事呢。
千万别托梦告诉你妈。
我可怎么对得起你妈……
儿子，
生日快乐。

凑页数篇：

实在想不出最后一条了，
随便说点什么强行占有这一页吧！
我是路雅爱，这个漫画的主笔，一开始真的没有想到这个漫画可以出单行本，多亏了出版社、编辑部、工作室的大家的帮助啊！希望以后大家也能继续支持！
我是猴淳良，是这个作品的编剧。私心最喜欢路清明小哥哥，虽然他没怎么出场，不过大家可以期待一下下。
就是这样！感谢看到这里的你！
喜欢的话就安利给你的朋友吧！爱你！
下一册再见！
朋友拜拜！

后 记

Afterwords

初次见面或者再次相见的读者们：

大家好，这里是主笔路雅爱。

天哪！你们知道吗？编辑说后记要写 500 字，高考作文都才 800 字啊！我现在说的一切都是在凑字数，我甚至想唱一首歌，但可能会被编辑打回来，还是算了……

说实话，一开始画连载的时候，非常没有自信。每天都在问负责脚本和监制的淳良老师：“我画得这么烂，第一话能有 50 的转发吗？”然后被翻了白眼。

淳良超喜欢翻我白眼的，可恶！结果没想到竟然会这样被大家喜爱。实在是诚惶诚恐、受宠若惊、惊弓之鸟、鸟语花香、香车宝马（给我打住）。

制作单行本的期间，连载“空窗”了很久，实在是非常抱歉！还好，写后记的时候又重新开连载啦。现在多少字了？我直接拿微信写的，看不到啊！

如果没有助手和公司的同事们的帮助，我一个人是画不出现在这样有趣的漫画的。我个人能力还不够呢……啊，有一点儿小沮丧……

总之，接下来的网络连载和后续的单行本，也希望大家能够继续多多支持啦！

爱你们！

——路雅爱 2017 年 5 月

图书在版编目（CIP）数据

英俊又可爱 .1 / 猴淳良，路雅爱著 . — 北京：世界知识出版社，2017.10
ISBN 978-7-5012-5584-9

Ⅰ . ①英… Ⅱ . ①猴… ②路… Ⅲ . ①漫画 — 连环画 — 中国 — 现代 Ⅳ . ① J228.2

中国版本图书馆 CIP 数据核字（2017）第 230624 号

英俊又可爱 .1
Yingjun You Ke' ai

猴淳良 X 路雅爱　著

责任编辑　余岚　刘喆
责任出版　赵玥
责任校对　马莉娜

出品人 / 监制　王俊灵
特约监制　力潮文创　漫漫漫画
特约编辑　陈艺端　C C
装帧设计　米屋工作室

出版发行　世界知识出版社
地址邮编　北京市东城区干面胡同 51 号（100010）
网　　址　www.ishizhi.cn
销售电话　010-65265923　010-57735442
经　　销　新华书店
印　　刷　小森印刷（北京）有限公司
开本印张　710x1000 毫米　1/16　17 印张
字　　数　150 千字
版次印次　2017 年 10 月第一版　2017 年 10 月第一次印刷
标准书号　ISBN 978-7-5012-5584-9
定　　价　45.00 元

版权所有　侵权必究

（如有任何印刷装订质量问题请联系 010-57735441 调换）